W. A. MOZART

Missa in c

Missa in C minor

KV 427 (417[a])

Credo in unum Deum, Et incarnatus est,
Sanctus, Hosanna

rekonstruiert und ergänzt von
reconstructed and completed by
Helmut Eder

Klavierauszug
nach dem Urtext der Neuen Mozart-Ausgabe von
Piano Reduction
based on the Urtext of the New Mozart Edition by

Lilia Vázquez

Bärenreiter Kassel · Basel · London · New York · Praha
BA 4846a

BESETZUNG / ENSEMBLE

Soli: Soprano I, II, Alto, Tenore, Basso

Coro I: Soprano, Alto, Tenore, Basso

Coro II: Soprano, Alto, Tenore, Basso

Flauto, Oboe I, II, Fagotto I, II;
Corno I, II, Clarino I, II, Trombone I, II, III; Timpani;
Violino I, II, Viola I, II, Bassi (Violoncello, Contrabbasso);
Organo

Zu vorliegendem Klavierauszug sind die Dirigierpartitur (BA 4846) und das Aufführungsmaterial (BA 4846) leihweise sowie eine Studienpartitur (TP 255) käuflich erhältlich.

In addition to this vocal score the full score (BA 4846) and the performance material (BA 4846) are also available on hire and the study score is available for sale (TP 255).

Ergänzende Ausgabe zu: *Wolfgang Amadeus Mozart, Neue Ausgabe sämtlicher Werke,* in Verbindung mit den Mozartstädten Augsburg, Salzburg und Wien herausgegeben von der Internationalen Stiftung Mozarteum Salzburg, Serie 1, Werkgruppe 1, Abteilung 1, *Messen* – Band 5 (BA 4592), vorgelegt von Monika Holl unter Mitarbeit von Karl-Heinz Köhler. Credo in unum Deum, Et incarnatus est und Sanctus mit Hosanna-Fuge rekonstruiert und ergänzt von Helmut Eder (BA 4846).

Supplementary edition based on: *Wolfgang Amadeus Mozart, Neue Ausgabe sämtlicher Werke,* issued in association with the Mozart cities of Augsburg, Salzburg, and Vienna by the *Internationale Stiftung Mozarteum* Salzburg, Series 1, Category 1, Section 1, *Messen* - Volume 5 (BA 4592), edited by Monika Holl in collaboration with Karl-Heinz Köhler. Credo in unum Deum, Et incarnatus est and Sanctus with Osanna fugue reconstructed and completed by Helmut Eder (BA 4846).

---

13. Auflage / 13th Printing 2008

ISMN 979-0-006-45693-2

INHALT / CONTENTS

VORWORT

Mozarts große Messe in c-Moll KV 427 (417[a]) ist Fragment geblieben; in dieser Gestalt ist sie ohne alle Ergänzung im Rahmen der Neuen Mozart-Ausgabe 1983 erschienen. Um Mozarts Fragment in den nur teilweise von Mozart niedergeschriebenen Sätzen *Credo in unum Deum, Et incarnatus est* sowie *Sanctus* und *Hosanna in excelsis* (mit Teilwiederholung der Fuge nach dem *Benedictus*) musizierfähig zu machen, bringt dieser Klavierauszug in den erwähnten Sätzen die vom Verlag in Auftrag gegebene Rekonstruktion und Ergänzung von Helmut Eder. In Mozarts Niederschrift des Satzes *Et incarnatus est* sind zwei leer gebliebene Systeme unterhalb der drei solistischen Holzbläser nicht bezeichnet. Die Rekonstruktion und Ergänzung von Helmut Eder bringt im oberen der beiden Systeme in C notierte Hörner ad libitum und lässt das untere System leer.

Hosanna-Fuge: Wie im Vorwort zum NMA-Notenband S. XVIIf. dargelegt, hatte Mozart eine von einem Doppelchor auszuführende Zweithemen-Fuge geplant, überliefert ist jedoch nur ein Chor. Die Rekonstruktion und Ergänzung von Helmut Eder verlegt, im Gegensatz zum NMA-Text, die Takte 18–27 (1. Viertel) des Chorbasses in Chor II (der Bass in Chor I pausiert dementsprechend in diesen Takten), wodurch in der Fugenexposition eine konsequente Trennung der beiden Themen, aufgeteilt auf Chor II (erstes Thema) und Chor I (zweites Thema), erreicht wird.

Der Dank des Verlages gilt Herrn Professor Helmut Eder (Salzburg); er gilt weiterhin Frau Dr. Monika Holl (München) und Herrn Kirchenmusikdirektor Klaus Martin Ziegler (Kassel) für manchen Hinweis bei Rekonstruktion und Ergänzung.

PREFACE

Mozarts great Mass in C minor K. 427 (417[a]) was destined to remain a fragment, and it is in this form that it was published in 1983 in the New Mozart Edition without any further additions. The *Credo in unum Deum*, *Et incarnatus est*, the *Sanctus* and *Hosanna in excelsis* (with its partial repetition of the fugue after the *Benedictus*) had only been partially completed by Mozart. In order to make the entire mass performable, the publishers commissioned Helmut Eder to reconstruct and complete the above-mentioned movements. This piano reduction reproduces the result of his work. In Mozarts manuscript of the movement *Et incarnatus est*, there are two unspecified staves left empty below the three soloistic woodwinds. Helmut Eder has added horns ad libitum (notated in C) in the upper of the two staves, and left the lower staff empty.

Hosanna fugue: As elucidated in the preface to the NMA Volume p. XVIIf., Mozart had planned a double fugue to be performed by a double chorus here; however, only one chorus has been transmitted. Contrary to the NMA text, Helmut Eder's reconstruction and completion transferred bars 18–27 (first quarter note) of the choral bass to chorus II (the bass in chorus I thus accordingly rests in these bars), thereby obtaining a consistent separation of the two subjects in the fugal exposition, divided among chorus II (first subject) and chorus I (second subject).

The publishers wish to extend their special thanks to Professor Helmut Eder (Salzburg) and would also like to thank Dr. Monika Holl (Munich) and Church Music Director Klaus Martin Ziegler (Kassel) for their advice and help with the reconstruction and completion.

Missa in c / in C minor

KYRIE

Wolfgang Amadeus Mozart
Klavierauszug / Piano Reduction: Lilia Vázquez

11
lei - - son, e - lei - - - - - - - son. Ky - ri - e — e -
Ky -
14
lei - son, e - lei - son, e - lei - son, e - lei - son, e - lei-son, e - lei -
- ri - e e - lei - - son, e - lei - - - - - -
17
son, e - lei - - - - - son, e - lei - - son, e -
son, e - lei - son. Ky - ri - e,
Ky - - - ri - e e -
Ky - ri - e — e - lei - son, e - lei - son, e -
Timp.

20
lei - son, e - lei - son, e - lei
Ky - ri - e e - lei - son. Ky - ri - e e -
lei - son, e - lei - son, e - lei - son, e -
lei - son, e - lei - son, e - lei - son, e - lei - son, e - lei - son, e - lei - son,
23
son, e - lei - son. Ky - ri - e e - lei
le - i - son. Ky - ri - e e - lei
lei - son, e - lei - son. Ky - ri - e e - lei
e - lei - son, e - lei - son. Ky - ri - e e - lei
+Cor.
+ Cl.
+Timp.
26
son. Ky - ri - e e - lei - son, e - lei - son, e -
son. Ky - ri - e e - lei
son. Ky - ri - e e - lei - son, e -
son. Ky - ri - e e - lei
p
-Timp.
Archi

30
lei - son, e - lei - son.
son.
lei - son,
son, e - lei - son,
+Cor.
p +Trbne.I, II
-Trbne. I, II
33
Soprano Solo
Chri - ste e - lei - son, e -
Viol. I
p
simile
Breathe early
37
lei - son. Chri - ste, Chri - ste e - lei -
Tutti
Chri - ste,
Tutti
Chri - ste,
Tutti
e - lei - son.
Tutti
e - lei - son.
crescendo
p

42
son, e - lei - - - - - - son, e -
p
Chri - ste, Chri - ste e - lei - son,
p
Chri - ste, Chri - ste e - lei - son,
p
Chri - - - - ste e - lei - son,
p
Chri - - - - ste e - lei - son,
crescendo
p
p
47
lei - son, e - lei - son, e - lei - - son. Chri -
cresc.
f
e - lei - son, e - lei son,
cresc.
f
e - lei - son, e - lei - son,
cresc.
f
e - lei - son, e - lei - son,
cresc.
f
e - lei - son, e - lei - son,
cresc.
f
p
p

Soprano Solo
52
ste, Chri-ste e - lei - son. Chri - ste, Chri - ste e - lei -
f
p
58
son, e - lei - son, e - lei - son, e - lei -
62
- son.
Chri-ste e - lei -
tr
p
e - lei - son, e - lei - son.
Chri - ste e - lei - son,
e - lei - son.
e - lei - son.
+Ob. I
+Ob.
-Ob.
-Fag.
+Fag. II

66
69
Soprano Solo
son.
Soprano
Soprano
Tutti
Ky - ri - e e -
Ob.
Ob.
73
lei - son. Ky - ri - e e - lei - son, e -
Tutti
e -
Tutti
Ky -

76
lei - son, e - lei - son, e - lei - son, e -
lei - son, e - lei - son. Ky - ri - e, Ky - ri - e,
- - ri - e e - lei - son. Ky - - ri - e e -
Tutti f
Ky - ri - e e - lei - son, e - lei - son, e -
79
lei - son, e - lei - son, e - lei - son, e - lei - -
Ky - ri - e e - lei - son. Ky - ri - e e -
lei - son, e - lei - son, e - lei - son, e -
lei - son, e - lei - son, e - lei - son, e - lei - son, e - lei - son,
82
- son, e - lei - son. Ky - ri - e e - lei - -
lei - son, e - lei - son. Ky - ri - e e - lei - -
lei - son, e - lei - son, e - lei - son, e - lei - -
e - lei - son, e - lei - son, e - lei - son. Ky - ri - e e - lei - -
+Cor.
+ Cl. + Timp.

85
son.
Ky - ri e e lei - son, e -
son.
Ky - ri - e e -
son.
Ky - ri - e e -
son.
Ky - ri - e e -
+Cor.
+Cl.
+Timp.
-Cor.
-Cl.
-Timp.
88
lei - son, e - lei - son, e - lei - son, e - lei -
lei - son. Ky - ri - e e - lei -
lei - son. Ky - ri - e e - lei -
lei - son. Ky - ri - e e - lei -
+Cor.
+Trbne. I, II
91
son, e - le - i - son.
son, e - le - i - son.
son, e - le - i - son.
son, e - le - i - son.
-Cor.
-Trbne. I, II
+Timp.

GLORIA

Allegro vivace

Soprano — *f* Tutti
Glo - - - - ri - a
in ex - cel - - - -

Alto — *f* Tutti
Glo - - - - ri - a
in ex - cel - - - - - - - -

Tenore — *f* Tutti
Glo - - - - ri - a in ex - cel - - - - - - - - - - - - - sis, in ex - cel - - - - - - - - - -

Basso — *f* Tutti
Glo - - - - ri - a in ex - cel - - - - - - - - - - - - - - - - - - sis, in ex - cel - -

Allegro vivace

Oboe I, II
Fagotto I, II
Corno I, II
Clarino I, II
Timpani
Trombone I - III
Archi
Bassi ed Organo

f
+ Trbni.
Fag. II
Trbne. III
Bassi ed Organo
Fag. I, Vla., Bassi ed Organo
Trbne. II

4

Ob. I
Viol. I
Ob. II
Trbne. I
Viol. II
+ Cor. + Cl. + Timp.

7
sis, in ex- cel - sis
sis, glo - ri-a in ex-
sis, glo - ri-a in ex-
sis,
10
De-o, glo - ri-a in ex-cel-sis, glo- ri-a in ex-
cel-sis, glo - ri-a in ex-cel-sis, glo-
cel-sis, glo - ri-a in ex-cel-sis, in ex-
in ex-cel - sis De-o,
13
cel-sis, in ex-cel-sis, in ex-cel-sis, in ex-cel -
ri-a in ex-cel-sis, in ex-cel-sis, in ex-cel - sis,
cel-sis, in ex-cel-sis, in ex-cel - sis,
glo - ri-a in ex-cel-sis, in ex-cel-sis, in ex-cel -

16
De - - - - - - - - - - - o, in ex-cel - -
in ex-cel - - - - - - sis De-o, in ex-cel - -
in ex-cel - - - - - - - sis De-o, in ex-
sis, in ex cel - - - - - sis De-o, in ex-
19
- - - sis De-o, in ex-cel-sis, in ex-cel-sis, in ex-cel-sis. Et in
- - - sis De-o, in ex-cel-sis, in ex-cel-sis, in ex-cel-sis.
cel - - - sis De-o, in ex-cel-sis, in ex-cel-sis, in ex-cel-sis.
cel - sis De - o, in ex-cel-sis, in ex-cel-sis, in ex-cel-sis.
Viol.I
23
ter - ra, in ter - ra pax ho - mi - ni-bus bo -
Et in ter - ra, in ter - ra pax ho - mi - ni-bus
Et in ter - ra pax ho - mi - ni-bus
Et in ter - ra pax ho - mi - ni-bus

28
nae vo - - lun - - - ta
bo - - nae vo - - lun - -
bo - - nae vo - lun -
bo - - - - - nae
+Trbne. III
32
- - - - - - - - - - tis. Glo - ri-a in ex-
ta - - - - - - - tis. Glo -
ta - - - - - tis. Glo - ri-a in ex-cel-sis, in ex-
vo - lun - ta - - - - tis.
35
cel-sis, in ex-cel-sis, in ex - cel-sis, in ex-cel - - - - - - sis
- ri-a in ex-cel-sis, in ex - cel-sis, in ex-cel - - - - sis,
cel-sis, in ex-cel-sis, in ex - cel - - - - - sis,
Glo - ri-a in ex - cel-sis, in ex-cel-sis, in ex - cel - - - -

38
De - - - - - - - - - - o, in ex-cel -
in ex-cel - - - - - - - sis De-o, in ex-cel -
in ex-cel - - - - - - sis De-o, in ex-
sis in ex- cel - - - - sis De-o, in ex-
41
- - - - - - sis De-o, in ex-cel-sis, in ex-cel-sis, in ex-cel-sis. Et in
- - - - - sis De-o, in ex-ce-sis, in ex-cel-sis, in ex-cel-sis.
-cel - - - - sis De-o, in ex-cel-sis, in ex-cel-sis, in ex-cel-sis.
cel - sis De - o, in ex-cel-sis, in ex-cel-sis, in ex-cel-sis.
Viol. I
p
45
ter - ra, in ter - ra pax ho - mi - ni-bus
Et in ter - ra, in ter - ra pax ho - mi - ni-bus
Et in ter - ra pax ho - mi - ni-bus
Et in ter - ra pax ho-mi - ni-bus
p

49
bo - - nae vo - - lun - -
bo - - nae vo - -
bo - - nae
bo - - -
pp
+ Trbne. III
53
ta - - - - - - - - - - - - tis.
lun - - ta - - - - - - - tis.
disappear
vo - lun - ta - - - - - - tis.
- nae vo - lun - ta - - - tis.
+Ob.I
+Cor.
p
57
pp
5 tt

Laudamus te
Allegro aperto
Oboe I, II
Corno I, II
Archi
Bassi ed Organo
Fagotti col Basso
p
Archi
Fag.
+Ob.
f
+Cor.
5
p
+Ob.
+Cor.
8
11 Soprano solo
Lau -
-Ob.
-Cor.
15
da - - - - - mus te
+Ob.
f
+ Cor.

19
Be - ne - di - ci - mus te.
-Ob.
p
-Cor.
f
23
Be - ne - di - ci - mus te.
-Ob.
p
-Cor.
26
Ad - o - ra - mus te.
29
Glo - ri - fi - ca - mus te. Glo - ri - fi - ca -
33
Ob.
Ob.

mus
te.
Ad - o -
ra - mus te.
Glo - ri - fi - ca

56
59
mus te.
Ob. I, II
crescendo
f
+Ob.
+Cor.
62
65
Lau - da - mus te. Ad-o-
Ob. I
sfp
p
simile
-Ob.
-Cor.
69
ra - mus te.
Be - ne - di - ci-mus
+ Cor.

73
te. Glo - ri - fi - ca - mus te. Glo - ri - fi - ca - mus
fp -Cor.
77
te. Ob. I
Lau - da-mus te. Ob. I
Ad - o - ra - mus te.
mfp
mfp
mfp
mfp
+Cor.
+Ob.
f
82
Ob. I
Ob.
Lau -
p
tr
tr
tr
(tr)
(tr)
86
da - mus te.
+Cor.
-Cor.
f
91
Be - ne - di - ci - mus te.
-Ob.
-Cor.
p
f

95
p
Be - ne - di - ci - mus te.
-Ob.
-Cor.
99
Ad - - - o - ra - mus te.
102
Glo - ri - fi - ca
Ob.
106
Ob. I
109
+Cor.

112
mus
Cor.
117
te.
Ad - o -
fp
fp
120
ra - mus te.
123
Glo - ri - fi - ca
fp
fp
(tr)
(tr)

128
131
mus te. Glo ri fi ca
fp
fp
fp
135
mus te.
Ob. I, II
cresc.
+ Ob.
f + Cor.
139
141
aux note

Gratias
Adagio
Soprano I
Gra - ti - as, gra - ti - as a - gi - mus ti - - - bi pro - pter ma - gnam, ma - gnam glo - ri - am tu - -
Soprano II
Gra - - ti - as a - gi - mus ti - bi pro - pter ma - gnam, ma - gnam glo - ri - am tu - -
Alto
Gra - - ti - as a - gi - mus ti - bi pro - pter ma - gnam, ma - gnam glo - ri - am tu - -
Tenore
Gra - ti - as a - gi - mus ti - bi pro - pter ma - gnam, ma - gnam glo - ri - am tu - -
Basso
Gra - ti - as a - gi - mus ti - bi pro - pter, pro - pter ma - gnam, ma - gnam glo - ri - am tu - - .
Adagio
Oboe I, II
Fagotto I, II
Corno I, II
Trombone I-III
Archi
Bassi ed Organo

am. Gra - ti - as a - gi - mus pro - pter ma - gnam
am. Gra - ti - as a - gi - mus
am. Gra - ti - as a - gi - mus pro - pter ma - gnam
am. Gra - ti - as a - gi - mus pro - pter ma - gnam
am. Gra - ti - as a - gi - mus pro - pter ma - gnam
+ Cor.
Archi
+ Trbni.
glo - ri - am, pro - pter ma - gnam glo - ri - am tu - am.
pro - pter ma - gnam glo - ri - am tu - am.
glo - ri - am, pro - pter ma - gnam glo - ri - am tu - am.
glo - ri - am, pro - pter ma - gnam glo - ri - am tu - am.
glo - ri - am, pro - pter ma - gnam glo - ri - am tu - am.

Domine

Allegro moderato
Archi
Organo
Fagotti col Basso
Soprano I solo
Do- mi-ne De - us, Rex cae - le - stis, Rex cae - le - stis,
De - us Pa - ter, De - us Pa - ter

26
tr
om - ni - po - tens.
Soprano II solo
tr
Do - mi - ne Fi - li u - ni - ge - ni - te Je - su
tr
32
Chri - ste. Do - mi - ne De - us, A - gnus De -
38
tr
Do - mi - ne
i, Fi - li - us, Fi - li us Pa - tris.
43
Fi - li u - ni - ge - ni - te Je - su, Je - su
Do - mi - ne De - us, Rex cae - le - stis, De - us Pa - ter om -

49
Chri - ste.
ni - po - tens.
55
Do - mi - ne De - us, Do - mi - ne De - us,
Do - mi - ne De - us, Do - mi - ne De - us,
60
A - gnus De - i, Fi - li - us, Fi - li - us
A - gnus De - i, Fi - li - us, Fi - li - us
66
Pa - tris. A - gnus De - i, Fi - li - us
Pa - tris, Fi - li - us Pa - - - - -

71
Pa - - tris, Fi - li - us, Fi - li - us
- - - - - - - - - - - - tris, Fi -
75
Pa - - tris, Fi - li - us Pa - - - - - - - -
li - us Pa - tris. A - gnus De - i, Fi - li - us
80
- - - - - - - - - - - - - - -
Pa - - - tris. A - - - - -

84
tris,
Fi - li - us,
Fi - li - us Pa -
gnus De - i,
Fi - li - us Pa -
89
tris,
Fi - li - us,
Fi - li - us
tris,
Fi - li - us,
Fi - li - us
95
Pa - tris.
Pa - tris.

Qui tollis

CD-6
In 8 - Subdivided 4
Largo
Coro I
Soprano
Alto
Tenore
Basso
Largo
Oboe I, II
Fagotto I, II
Corno I, II
Trombone I-III
Archi
Bassi ed Organo
Archi
Bassi ed
Organo
f
3
Qui tol - lis pec -
Qui tol - - lis pec -
Qui tol - - lis pec -
Qui tol - - lis pec -
Coro II
Soprano
Alto
Tenore
Basso
+ Ob.
+ Cor.
+ Fag.
+Trbni.

ca - ta mun - di, qui
ca - ta mun - di,
ca - ta mun - di,
ca - ta mun - - di,
Qui tol - - lis pec - ca - ta
Qui tol - - lis pec - ca - ta
Qui tol - - lis pec - ca - ta
Qui tol - - lis pec - ca - ta
tol - lis pec - ca - ta, qui tol - lis, qui
qui tol - lis, qui tol - lis, qui
qui tol - lis pec - ca - ta, qui tol - lis, qui
qui tol - lis, qui tol - - lis pec - ca - -
mun - di, qui tol - lis, qui
mun - di, qui tol - lis, qui
mun - di, qui tol - lis, qui tol - lis
mun - di, qui tol - lis pec -
- Cor.

11
tol - lis pec - ca - - - ta
tol - lis, qui tol - - - lis pec - ca - ta
tol - lis, qui tol - lis pec - ca - ta
- ta mun - di, pec - ca - - ta
tol - lis pec - ca - - ta, pec - ca - ta
tol - lis pec - ca - ta, pec - ca - ta
pec - ca - ta mun - di, pec - ca - ta
ca - ta mun - di, pec - ca - - ta
14
p
mun - - di, mi - se - re - re,
mun - - di,
mun - - di,
mun - - di,
mi - se - re -
subito p
mun - - di,
Ob.
Fag.
Trbni.
p Archi
pp
Org. Tasto

17
mi - se - re - re no - bis. Qui tol - - lis
mi - se - re - re no - bis. Qui tol -
mi - se - re - re no - bis. Qui tol -
mi - se - re - re no - bis. Qui tol -
- re, mi - se - re - re no - bis.
mi - se - re - re no - bis.
mi - se - re - re no - bis.
mi - se - re - re no - bis.
+ Ob.
+ Cor.
+ Fag.
+ Trbni.
20
pec - ca - ta mun - di, qui
lis pec - ca - ta mun - di, qui tol lis,
lis pec - ca - ta mun - di, qui
lis pec - ca - ta mun - di, qui
Qui tol - lis pec - ca - ta, qui
Qui tol - lis, qui
Qui tol - lis pec - ca - ta, qui
Qui tol - - lis, qui to -

23
tol - lis, qui tol - lis, qui tol -
qui tol - lis pec - ca - ta, qui tol -
tol - lis, qui tol - lis pec - ca - ta mun -
tol - lis pec - ca - ta mun - di, pec -
tol - lis, qui tol - lis, qui tol -
tol - lis, qui tol - lis, qui tol - lis pec -
tol - lis, qui tol - lis pec - ca - ta, qui
lis pec - ca - ta mun - di, pec -
26
lis pec - ca - ta mun - di, sus - ci - pe, sus -
lis pec - ca - ta mun - di,
di, pec - ca - ta mun - di,
ca - ta mun - di,
lis pec - ca - ta mun - di,
ca - ta mun - di,
tol - lis pec - ca - ta mun - di,
ca - ta mun - di,
Ob. Cor.
Fag. Trbni.
Org. Tasto solo

29
- ci - pe, sus - ci - pe de - pre -
sus - ci - pe de - pre -
sus - ci - pe de - pre -
sus - ci - pe de - pre -
p
sus - ci - pe, sus - ci - pe, sus -
sus - ci - pe, sus - ci - pe, sus -
sus - ci - pe, sus - ci - pe, sus -
sus - ci - pe, sus - ci - pe,
31
ca - ti - o - nem no - stram. Qui se - des
f
ca - ti - o - nem no - stram. Qui se -
ca - ti - o - nem no - stram. Qui se -
ca - ti - o - nem no - stram. Qui se -
- ci - pe de - pre - ca - ti - o - nem no - stram.
- ci - pe de - pre - ca - ti - o - nem no - stram.
- ci - pe de - pre - ca - ti - o - nem no - stram.
sus - ci - pe de - pre - ca - ti - o - nem no - stram.
f +Ob.
+ Cor.
+ Fag.
+ Trbni.
legato, seamless lines - sneak

34
ad dex - te-ram Pa - tris, qui se - des
des ad dex - te-ram Pa - tris, qui se - des
des ad dex - te-ram Pa - tris, qui se - des
des ad dex - te-ram Pa - tris, qui se - des
Qui se - des, qui se - des ad
Qui se - - - - - - -
Qui se - - des, qui se -
Qui se - - des, qui se -
37
ad uex - te - ram Pa - tris, qui
ad dex - te - ram Pa - tris, qui se - des,
ad dex - te - ram Pa - tris, qui
ad dex - te - ram Pa - tris, qui
dex - te - ram Pa - tris, qui
des ad dex - te - ram Pa - tris, qui
des ad dex - te - ram Pa - tris, qui
des ad dex - te - ram Pa - tris, qui se - -

39
se - des, qui se - des, qui se - - -
qui se - des ad dex - te - ram, qui se -
se - des, qui se - des, qui se - des
se - des ad dex - te - ram Pa - tris, qui
se - des, qui se - des, qui se -
se - des, qui se - des, qui se - des, qui
se - des, qui se - des, qui se - des, qui
- des ad dex - te - ram Pa - tris, qui
42
des ad dex - te - ram Pa - tris, mi - se - re -
des ad dex - te - ram Pa - tris, mi - se - re -
ad dex - te - ram Pa - tris, mi - se - re -
se - des ad dex - te - ram Pa - tris, mi - se - re -
des ad dex - te - ram Pa - tris,
se - des ad dex - te - ram Pa - tris,
se - des ad dex - te - ram Pa - tris,
se - des ad dex - te - ram Pa - tris,
p
pp
- Ob. - Cor.
- Fag. - Trbni.
+Trbni.
Org. Tasto solo

45
re, mi - se - re - re no - bis,
re, mi - se - re - re no - bis,
re, mi - se - re - re no - bis,
re, mi - se - re - re no - bis,
p
mi - se - re - re, mi - se - re - re
mi - se - re - re, mi - se - re - re
mi - se - re - re, mi - se - re - re
mi - se - re - re, mi - se - re - re
+Cor. -Trbni
48
f
mi - se - re - re, mi - se - re - re, mi - se - re - re
mi - se - re - re, mi - se - re - re, mi - se - re - re
mi - se - re - re, mi - se - re - re, mi - se - re - re
mi - se - re - re, mi - se - re - re, mi - se - re - re
no - bis, mi - se - re - re, mi - se - re - re, mi - se -
no - bis, mi - se - re - re, mi - se - re - re, mi - se -
no - bis, mi - se - re - re, mi - se - re - re, mi - se -
no - bis, mi - se - re - re, mi - se - re - re, mi - se -
+Trbni.
+Ob., +Fag.
+Cor.

51
no - - - bis, mi - se - re - re
no - - - bis, mi - se - re - re
no - - - bis, mi - se - re - re
no - - - bis, mi - se - re - re
re - re no - bis, mi - se - re - re
re - re no - bis, mi - se - re - re
re - re no - bis, mi - se - re - re
re - re no - bis, mi - se - re - re
Ob.
54
no - - - bis.
no - - - bis.
no - - - bis.
no - - - bis.
no - - - bis.
no - - - bis.
no - - - bis.
no - - - bis.

CD 7

Quoniam

Allegro
Oboe I, II
Fagotto I, II
Archi
Bassi ed Organo
Archi
Soprano II solo
Quo - ni - am tu so -
Archi.
Soprano I solo
Quo - ni - am tu so - - - -
Soprano II solo
- - - - - lus san - ctus, tu so-lus san - - - -

31
- - lus Do - mi - nus, tu so - - - lus,
- - - - ctus, tu so - lus san - - - - - -
Tenore solo
Quo - ni - am tu so - - - - - lus Al -
37
tu so - - - lus Do - mi - nus, tu so - - - -
- - - ctus, tu so - - lus san - ctus, tu so - -
tis - si - mus, tu so - - - - lus Al -
42
- - lus Do - mi - nus. Quo - ni - am,
- - lus san - - - ctus. Quo - ni -
tis - si - mus. Quo - ni - am
+Fag. I
+Ob. I -Fag. I
+Ob. II
-Ob. I

47
quo - ni - am tu so - lus san - - - - - - - - -
am tu so - - lus san - ctus, tu so - lus,
tu so - - lus san - ctus.
- Ob. II
52
- - - - - - ctus, tu so - - - - - lus
so - lus san - - - - - - - - - - -
Do - mi - nus tu. Tu so - - lus Al - tis - - si-
+Ob. I
+ Fag. I
56
san - - - - - - - - - - - - - - -
- - ctus, tu so - lus san - - - - - - - -
mus. Tu so - lus san - - - - - - - - - -
- Ob. I

60
- Fag. I
64
ctus. Tu so - lus Do - mi-nus.
ctus. Tu so - lus Do - mi - nus.
ctus. Tu so - lus Do - mi - nus.
f
p
+Ob. II
+Fag. II
69
Tu so - lus Al - tis - si - mus.
Tu so - lus Al - tis - si - mus.
Tu so - lus Al - tis - si - mus.
+Ob. I
+Fag. I
cre - scen - do
f
-Ob.
-Fag.
+Ob.
+Fag.
74
+Ob.
+Fag.

78
Soprano I solo
Quo-
-Ob.
-Fag.
p
83
ni - am tu so - lus san - ctus, tu so - lus san - ctus.
Soprano II solo
Quo - ni - am tu so - lus san - ctus
Tenore solo
Quo - ni - am
88
Quo - ni - am tu so - lus san
, tu so - lus san - ctus. Quo - ni - am tu so - lus
tu so - lus san - ctus. Quo -

93
san
ni - am tu so-lus san
+Ob.
98
102
ctus, tu so-lus san - ctus, tu so-lus san - ctus.
ctus, tu so-lus san - ctus, tu so-lus san - ctus.
ctus.
-Ob.
+Fag.
f -Fag.

107
Quo - ni - am tu so - lus, tu so - - -
Quo - ni - am tu so - lus,
Quo - ni - am tu so - lus,
+ Ob.
+ Fag.
- Ob.
- Fag.
p Archi
112
[♯]
- - lus san - ctus,
tu so - - - - - lus san - ctus,
tu
118
tu so - - - - - - - - - -
tu so - - - - - - - - - -
so - - - - - - - - - - -
p
fp
pp

124
fp
lus san - ctus.
Quo - ni-
+ Fag. II
+ Fag. I
- Fag. II
129
Quo - ni-am tu so-lus san
Quo - ni-am tu so-lus san
am, quo - ni-am tu
+ Ob. II
- Fag. I
+ Ob. I
- Ob. II
- Ob. I
134
so - lus san - ctus. Do - mi - nus Al - tis - si-
+ Ob. I
Fag. I

139
ctus,
tu so - lus san
mus.
Tu
so - lus san
- Ob. I
- Fag. I
+ Fag. I
144
ctus.
Tu
- Fag. I
f
p
149
so - lus Do - mi - nus.
Tu
so - lus Al -
Tu
so - lus Al -
so - lus Do - mi - nus.

154
tis - si - mus, Al - tis - si - mus, Al - tis - si -
tis - si - mus, Al - tis - si - mus, Al - tis - si -
tis - si - mus, Al - tis - si - mus, Al - tis - si -
+ Ob.
+ Fag.
159
mus.
mus.
mus.
f
163
167

Jesu Christe
Adagio
Soprano
Alto
Tenore
Basso
Je - su, Je - su Chri - - ste, Je-su Chri - ste, Je - su Chri - ste, Je - su Chri - ste.
Adagio
Oboe I, II
Fagotto I, II
Corno I, II
Clarino I, II
Timpani
Trombone I - III
Archi
Bassi ed Organo
Tutti
+Cor. +Cl. II
Timp.
+Ob.
+Fag.
+Cor.
+Cl.
+Timp.

Cum Sancto Spiritu
7 Tenore
Cum San - - -
Basso
Cum San - - cto Spi - ri - tu, in glo - -
Fag.
Trbne. III
Fag. I
Vla.
Trbne. II
Org. tasto solo
solo
16 Soprano
Alto
Cum San -
Tenore
- - cto Spi - ri - tu, in glo - - - -
Basso
- - - - - ri - a De - - i Pa - tris. A - men,
Ob. II Trbne. I
Viol. II
22
Cum San -
- - - - cto Spi - ri - tu, in glo -
a - - - - - - -
Ob. I Viol. I
+Cl.
+Cor. +Timp.

27
- - - - - - - cto Spi - ri -
- ri - a De - i Pa - - - - - -
men, a - - - - - - -

31
tu, in glo - - - ri - a De - i Pa - tris. A - men,
- ri - a De - i Pa - - - tris. A - men.
tris. A - - - - - men, a -
men, a - men, a - - - men, a - men. Cum

36
a - men, a
Cum San cto
men, a
San cto Spi ri
articulate
41
cto Spi ri tu, in glo ri a De i
men.
tu, in glo ri a De i Pa tris.
46
men, a
Pa tris. A
Cum San cto
A

51
men, a
men, a
Spi - ri - tu, in glo - - - ri- a
men, a
+ Ob.
+ Fag.

56
men, a - men. Cum
men, a - men, a - men,
De - i Pa - tris. A - men, a -
men, a - men.
Ob.
+Trbni.

61
San
cto
little articulation
a
men, a
men, a
Cum
San
+ Cor.
+ Cl.

articulate

65
Spi
ri
tu,
in glo
men, a
men, a
men,
a
cto
Spi
ri
tu, in glo
ri
a
+ Fag.
+ Ob.
+ Trbne.

mark changed chords
weight to
men, a men, a
De i Pa tris. A
ri-a De - i Pa - tris. A
men, a
men, a
men, a
p
subito
+Ob.
+Fag.
men, a
men, a
men, a men.
men.

81
men,
a
men,
a
Cum
San
Cum
San
cto
86
cto
Spi
ri
tu,
in
glo - ri - a De - i
Spi
ri
tu,
in
glo - ri - a De - i
Pa - tris.
A
+ Ob.
+ Fag.
+ Cor.
+ Trbne.
90
soprano dagger like
men, a
men.
Pa - tris.
A
men, a - men, a
men,
a
Fag.II, Trbne.II
Fag. I
Trbne. III

sustain
94
men,
f strong
Cum
San
men,
a
men,
men,
a
98
a
men,
cto
Spi
ri
tu, in glo
a
102
a
men, a
men.
ri-a De-i Pa
tris.
men, a
men. Cum San

107
Cum San - - - cto
- - - - - - - - -
- - - - cto Spi - ri - tu. A -
+Fag. II +Cl. +Timp.
+Cor.
+Trbne.
112
Cum San - - - cto
Spi - ri - tu. A - - - - - - -
- - men. Cum San -
- - - - - men.
117
Spi - ri - tu. A - - -
- - - - - - - men.
- - cto Spi - ri - tu,
Cum San - -
+Cl.

121
cum
San - - - - - cto
cto
Spi - ri - tu.
A -
+ Cl.
+ Timp.
126
men.
Cum
Cum
San
Spi - ri - tu,
+ Cor.
130
San - - - - - - - - cto
cto
Spi - ri - tu,

bring out
rhythmic
134
Spi - ri - tu, in glo - - - - - - - - ri - a.
in glo - - - - - - - - ri - a.
cum
men.
+Fag.
+Cl.
+Ob.
+Timp.
+Trbne. II
139
Cum San - - - - - - -
San - - - - - - cto Spi - ri -
144
cto Spi - ri - tu.
A - - men. Cum
tu.
Cum San - - -
+Trbne. I
+Ob.
+Fag. II
+Cor.
+Cl.
+Trbne. I
+Timp.
+Trbne. III

149
San - cto
A -
cto Spi - ri - tu.
153
A - men, a
Spi - ri - tu. A - men, a
men, a - men, a
A - men, a - men, a
+ Ob.
+ Fag.
158

long lines
legato piano misterioso
to 172
163
men, a - men, a - men, a - men. Cum San -
men, a - men, a - men, a - men. Cum
men, a - men, a - men.
men, a - men, a - men.
Ob. I
+ Cor.
+Cl.
+Timp.
+Trbni.
-Fag.
-Cor.
-Cl.
-Trbni.
-Timp.
Ob. II
169
cto Spi - ri - tu, in glo -
San - cto Spi - ri - tu,
Cum San - cto, cum San - cto Spi - ri - tu, in glo -
Cum San - cto Spi - ri - tu,
177
we resolve to C
in glo - ri - a, in glo - ri - a, in glo -
ri - a, in glo - ri - a, in glo -
in glo - ri - a, in glo - ri - a,

182
ri - a De - i Pa - tris. A -
ri - a De - i Pa - tris. A -
ri - a De - i Pa - tris. A -
in glo - ri - a De - i Pa - tris. A -
+ Ob. + Timp.
+ Cor.
+ Cl.
Trbni.
187
192
Robust
f
men, a - men, a - men, a - men, a - men.
men, a - men, a - men, a - men, a - men.
men, a - men, a - men, a - men, a - men.
men, a - men, a - men, a - men, a - men.

CREDO

Rekonstruiert und ergänzt von Helmut Eder

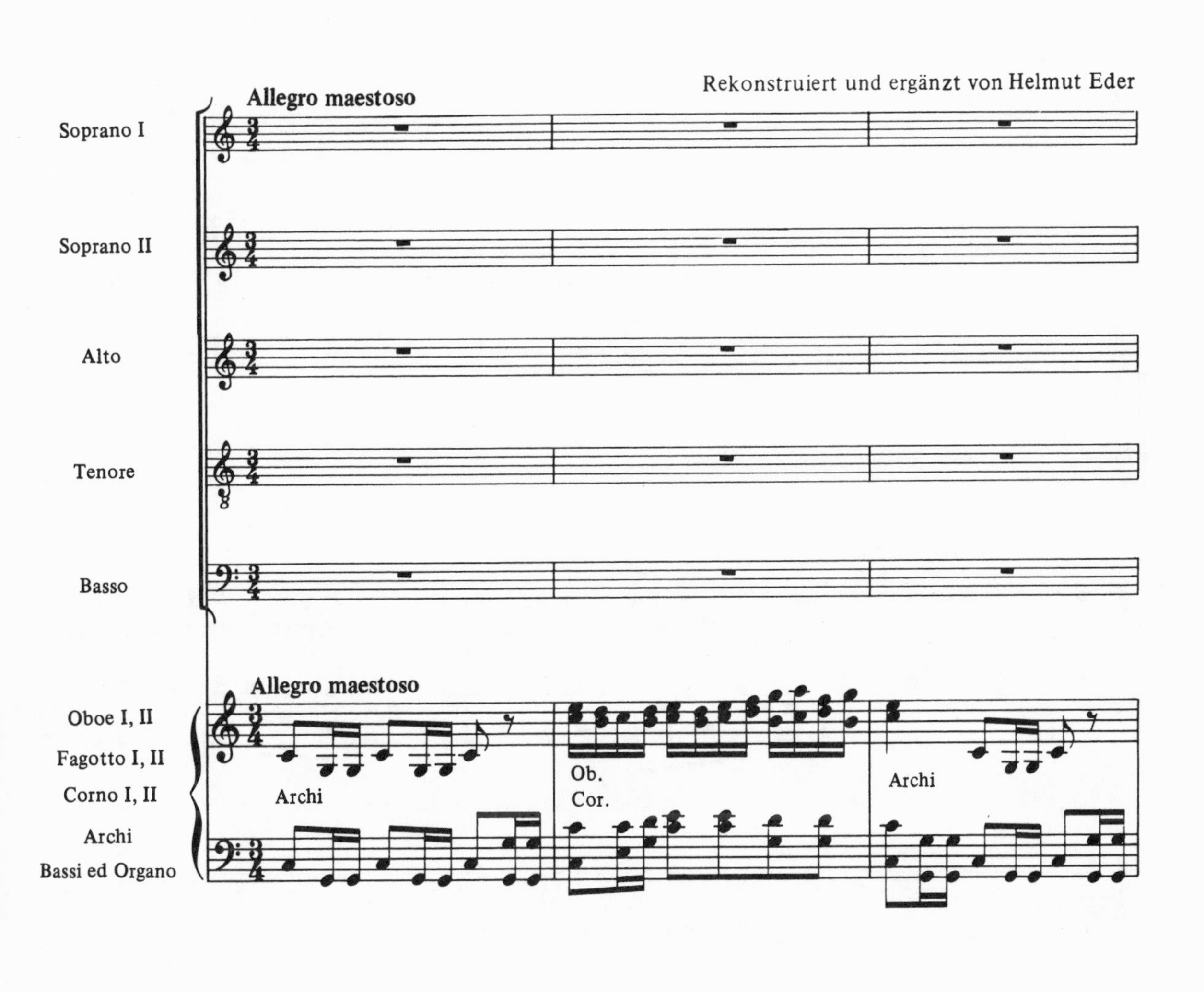

12
Cre - do, cre - do in u - num De -
Cre - do, cre - do in u - num De -
Cre - do, cre - do in u - num De -
Cre - do, cre - do in u - num De -
Cre - do, cre - do in u - num De -
tr
16
um. Pa - trem o - mni - po - ten - tem,
um. Pa - trem o - mni - po - ten - tem,
um. Pa - trem o - mni - po - ten - tem,
um. Pa - trem o - mni - po - ten - tem,
um. Pa - trem o - mni - po - ten - tem,

19
fa - cto - rem cae - li et ter - - rae, fa - cto - rem cae - li et
fa - cto - rem cae - li et ter - - rae, fa - cto - rem cae - li et
fa - cto - rem cae - li et ter - - rae, fa - cto - rem cae - li et
fa - cto - rem cae - li et ter - - rae, fa - cto - rem cae - li et
fa - cto - rem cae - li et ter - - rae, fa - cto - rem cae - li et
22
ter - rae, vi - si - bi - li - um o - mni - um, et in -
ter - rae, vi - si - bi - li - um o - mni - um,
ter - rae, vi - si - bi - li - um o - mni um,
ter - rae, vi - si - bi - li - um o - mni um,
ter - rae, vi - si - bi - li - um o - mni - um,

25
vi - - si - - bi - - li - um,
et in vi - - si - - bi - - li-
et in
et in - vi - - - - - - -
et in vi - -
29
et in - vi - si - bi - li - um.
um, et in - vi - si - bi - li - um.
vi - - - - si - bi - li - um.
- - - - - si - bi - li - um.
- - - - - si - bi - li - um.
A# leading to B

32
p
cresc.
f
36
Cre - do. Et in u - num Do - mi - num Je - sum Chri - stum, Fi - li -
less
less
40
um, Fi - li - um De - i u - ni - ge - ni - tum. Et ex pa - tre
light - effortless

44
na-tum an - - - - - - - - - - - - -
na - tum an - - - - - - - - - - - te,
na - tum an - - - - - - - - - - -
na - tum an - - - - - - te, an - - -
na - tum, cre - do, cre - do, cre - do, cre - do,
Archi
49
- - te o-mni-a sae - - - - - - - - cu - la.
an - te o-mni-a sae - - - - - - - - cu - la.
an - te o-mni-a sae - - - - - - - cu - la.
- - te o-mni-a sae - - - - - - - - cu - la.
an - te o-mni-a sae - - - - - - - - cu - la.
p Archi

53
57
Glotal
Strong entrance
De - um de De - o,
De - um de De - o,
De - um de De - o,
De - um de De - o,
De - um de De - o,
cresc.
f
61
lu - men de lu - mi - ne, De - um
lu - men de lu - mi - ne, De - um
lu - men de lu - mi - ne, De - um
verum
lu - men de lu - mi - ne,
lu - men de lu - mi - ne,

64
ve - rum de De - o ve - - - - ro.
ve - rum de De - o ve - - - - ro.
ve - rum de De - o ve - - - - ro.
De - um ve - rum de De - o ve - - -
De - um ve - rum de De - o ve - - -
67
Ge - ni - tum non fa - ctum, ge - ni - tum non
Ge - ni - tum non fa - ctum, ge - ni - tum non
Ge - ni - tum non fa - ctum, ge - ni - tum non
ro. Ge - ni - tum non fa - ctum, ge - ni - tum
ro. Ge - ni - tum non fa - ctum, ge - ni - tum

70
fa - ctum, con - sub - stan - ti - a-lem
fa - ctum, con - sub -
fa - ctum, con - sub - -
non fa - ctum, con - sub - stan - ti - a - lem Pa - -
non fa - ctum, con - sub-stan - ti - a - lem Pa - -
74
Pa - - tri: per quem o - - - -
stan - ti - a - lem Pa - tri: per quem o -
stan - ti - a - lem Pa - tri: per
tri: per quem o - -
tri: per quem

77
quem o
o
80
mni-a fa cta sunt.
mni-a fa cta sunt.
mni-a fa cta sunt.
mni-a fa cta sunt.
mni-a fa cta sunt.

83
tr
87
Cre - do. Qui pro - pter nos ho - mi - nes, et pro-pter
Cre - do. Qui pro - pter nos ho - mi - nes, et pro-pter
Cre - do. Qui pro - pter nos ho - mi - nes, et pro-pter
Cre - do. Qui pro - pter nos ho - mi - nes, et pro-pter
Cre - do. Qui pro - pter nos ho - mi - nes, et pro-pter
Cor. Ob.
90
no - stram sa - lu - tem, qui pro - pter nos ho - - mi-
no - stram sa - lu - tem, qui pro - pter nos ho - - mi-
no - stram sa - lu - tem, qui pro - pter nos ho - - mi-
no - stram sa - lu - tem, qui pro - pter nos ho - - mi-
no - stram sa - lu - tem, qui pro - pter nos ho - - mi-

94
nes, et pro - pter no - stram sa - lu - tem de - scen - dit de cae -
nes, et pro - pter no - stram sa - lu - tem de - scen - dit de cae -
nes, et pro - pter no - stram sa - lu - tem de - scen - dit de cae -
nes, et pro - pter no - stram sa - lu - tem de - scen - dit de cae -
nes, et pro - pter no - stram sa - lu - tem de - scen - dit de cae -
97
lis, de - scen
lis, de - scen - dit, de - scen -
lis, de - scen
lis, de - scen
lis, de - scen
Archi

101
dit
dit, de -
dit, de -
dit, de - scen - dit,
dit, de - scen - dit,
104
de cae - lis, de - scen - dit de cae - lis, de
scen - dit de cae - lis, de - scen - dit de cae - lis, de
scen - dit de cae - lis, de - scen - dit de cae - lis, de
de - scen - dit de cae - lis, de - scen - dit de cae - lis, de
de - scen - dit de cae - lis, de - scen - dit de cae - lis, de

108
cae - lis, de cae - lis,
cae - lis, de cae - lis,
cae - lis, de cae - lis,
cae - lis, de cae - lis,
cae - lis, de cae - lis,
+Ob. I. II
+Fag. I. II
p
cresc.
113
marcato
de - scen - dit de cae - lis.
de - scen - dit de cae - lis.
de - scen - dit de cae - lis.
de - scen - dit de cae - lis.
de - scen - dit de cae - lis.
f

CD 11

Et incarnatus est

Rekonstruiert und ergänzt von Helmut Eder

27
ho - mo fa - ctus est,
Fl.
et ho - mo fa
32
Ob.
35
Ob.
Fag.
38
ctus
41
est,
Ob.
et
Fl.
Fag.
ho - mo fa - ctus est,
Ob.

45
et
Fl.
ho - - mo fa - - -
Ob.
Fag.
48
- - - - - - - - ctus
Fl.
Fag.
tr
52
est.
Fl.
Ob.
Fag.
Archi
55
Et in-car-na - tus est de Spi - - ri-tu
+Ob. I
-Ob. I Archi
mfp
mfp
59
San - - cto ex Ma-ri - a Vir-gi-ne: Et
Fl.

63
ho - mo fa - ctus est, et ho - mo fa - - - - -
Fl.
Archi
68
Ob.
71
Ob.
74
Ob.
Fag.
Fl.
Ob.
76
Fl.
Ob.
Archi

79
ctus est,
fa
Ob.
Fl.
Archi
83
ctus est,
fa
Ob.
Fag.
86
ctus
8va
90
Cadenza
est,
fa
Ob.
Fag.
95
Ob.
Fl.
Fag.

98
Ob.
101
Fl.
Ob.
Fag.
106
Fag.
Fl.
Ob.
110
ctus est.
+Fl. +Ob. +Fag.
116

SANCTUS

CD12
in 8
Chord from organ
Rekonstruiert und ergänzt von Helmut Eder.
Largo
Soprano
Sanctus, Sanctus,
Alto
Sanctus, Sanctus,
Coro I
Tenore
Sanctus, Sanctus,
Basso
Sanctus, Sanctus,
Soprano
Sanctus, Sanctus,
Alto
Sanctus, Sanctus,
Coro II
Tenore
Sanctus, Sanctus,
Basso
Sanctus, Sanctus,
Largo
Oboe I, II
Fagotto I, II
Corno I, II
Clarino I, II
Timpani
Trombone I - III
Archi
Bassi ed Organo
f Tutti
sf
sf

San - ctus
Do - mi - nus De - us
p + Cor.
sf
Do - mi - nus De - us Sa - ba - oth,
misterioso

10
cresc.
f
Sa - ba-oth, Do - mi - nus De - us Sa - ba-oth. Ple - ni
Do - mi - nus, Do - mi - nus De - us Sa - ba-oth. Ple - ni
Tutti
12
sunt cae - li et ter - ra, ple - ni,
ple - ni sunt cae - li et ter - ra,

14
sunt cae - li et ter - - ra
15
glo - ri - a, glo - ri - a tu - a.
glo - ri - a tu - - a.
Timp.

Allegro comodo
18
In ex - cel - - - - - - - -
Ho -
Ho - san - na in ex - cel - sis. Ho - san - - - - - - na in ex -
Allegro comodo
Fag. II
Trbne. III
Fag. I
(Vla.)
Trbne. II
Bassi ed Organo
21
In ex - cel - - - - -
sis, in ex - cel - sis. Ho - san - - na in ex - cel - sis, in ex -
Ho -
san - na in ex - cel - sis. Ho - san - - - - na, ho -
cel - - sis. Ho - san - na, ho - san - na, ho - san - na in ex - cel - -
Ob. II

24
In ex - cel - - - - - - - - -
sis, in ex - cel - sis. Ho - san - - - - na in ex - cel - -
cel - - - - - sis. Ho - san - na, ho - san - na, ho - san - na
Ho -
san - na in ex - cel - sis, ho - san - - - - - na, ho -
san - - na, ho - san - na, ho - san - na in ex - cel - -
- - sis. Ho - san - na, ho - san - na, ho - san - na in ex - cel - -
Ob. I
+ Cor.
+ Cl. + Timp.
27
sis, in ex - cel - sis. Ho - san - na, ho - san - na, ho - san - - na in ex -
- - sis. Ho - san - na, ho - san - na, ho - san - - na,
in ex - cel - sis. Ho - san - na, ho - san - na, ho - san - na
in ex - cel - - - - - - sis, Ho -
san - na in ex - cel - sis, ho - san - - - - na, in ex -
san - - na, ho - san - na, ho - san - na, ho - san - na,
- sis, ho - san - na, ho - san - na, ho - san - na,
sis,

30
cel-sis, in ex-cel - - sis,
ho-san - na, ho-san-na in ex-cel-sis. Ho - san - - -
in ex-cel-sis, in ex-cel - - - sis. Ho - san - -
san-na, ho-san-na, ho-san-na, ho-san - - na, ho-san-na,
cel-sis, in ex-cel - sis, in ex-cel - -
ex-cel-sis,
ho-san-na, ho-san-na, ho-san-na,
in ex-cel-sis, in ex-cel-sis, ho-san - na, ho-
Ob.
33
in ex-cel -
- - - - - - na, ho-san-na, ho - san -
- - na in ex - cel - sis, in ex-cel-sis, in ex - cel-sis. Ho-san - na,
ho-san-na in ex-cel - - - - sis. Ho-san-na, ho-
- - - - - - - - sis,
ho-san-na in ex-cel-sis, ho - san -
ho - san - na, in ex-cel-sis,
san-na, ho-san-na, ho-san-na,

36
sis.
na, ho- san - - - - - - - na,
ho- san - na,
ho - san - na in ex -
san - na, ho - san - na in ex - cel - sis. Ho - san - na, ho - san - na in ex - cel - - -
in ex - cel - - - - - - - - sis, ho -
na, ho - san - - - - - - na,
ho - san - na, ho - san - na, ho - san - na, ho - san - na, ho -
ho - san - na, ho - san - na, ho - san - na, ho - san - na in ex - cel -
39
ho - san - na, ho - san - na, ho - san - na in ex -
cel - sis. Ho - san - - - - - - -
- - - - - - sis. Ho -
san - na, ho - san - na, ho - san -
ho - san - na, ho - san - na in ex -
san - na, ho - san - na in ex - cel - sis,
- - - - - - sis. Ho -

41
Ho - san - na in ex - cel - sis. Ho - san - -
cel - - - - - - - sis. Ho - san - na,
- - - - - na in ex - cel - sis. Ho - san - na,
san - na in ex - cel - - - - sis.
- na in ex - cel - - sis, ho - san - -
cel - sis, in - ex - cel - -
ho - san - na in ex - cel - sis,
san - na in ex - cel - - sis, ho - san - na, ho -
43
- - - - - - - - na, ho - san - na,
ho - san - na in ex - cel - - sis.
ho - san - na, ho - san - na, ho - san - na, ho -
Ho - san - na in ex - cel - sis. Ho -
- - na in ex - cel - sis, ho - san - na in ex -
- - - - - - - - sis, ho -
ho - san - - na in ex - cel - sis, ho -
san - na, ho - san - na, ho - san - na in ex - cel - sis, ho -

45
ho - san - na, ho - san - na in ex - cel - - sis. Ho - san - -
Ho - san - na, ho - san - na in ex - cel - sis.
san - - - - - - - na in ex - cel - sis. Ho -
san - - - - - - na in ex - cel - sis. Ho -
cel - - - - - - - - - - sis, ho - san - -
san - na, ho - san - na, ho - san - na in ex - cel - sis,
san - - - - - - - na in ex - cel - sis, ho
san - - - - - - na in ex - cel - sis, ho -
48
- - - - - - - - na, ho - san - na
Ho - san - na, ho - san - na in ex - cel - sis. Ho - san -
san - - - - - na, ho - san - na
san - na in ex - cel - sis. Ho - san - na in ex - cel - sis. Ho -
- - - - - - - - na, ho - san - na
ho - san - na, ho - san - na in ex - cel - sis, ho - san -
san - - - - - na, ho - san - na
san - na in ex - cel - sis, ho - san - na in ex - cel - sis, ho -

51
in ex - cel-sis, in ex - cel - - - - - - - - sis. Ho-san -
- - - - - - na, ho-san-na, ho-san-na, ho -
in ex - cel-sis. Ho-san-na, ho-san-na, ho -
san - - - - na, ho-san-na, ho-san-na, ho -
in ex - cel-sis, in ex - cel - - - - - - - - sis,
- - na, ho - san - na in ex - cel - sis,
in ex - cel-sis, ho - san - na in ex - cel - sis,
san - - na, ho - san - na in ex - cel - sis, ho -
54
- - - - - - - - - na in ex-cel - sis. Ho-
san - - - - - - - na in ex-cel - sis. Ho-
san - - - - - - - na in ex-cel - sis. Ho-
san - - - - - - - na in ex-cel - sis. Ho-
ho - san - na in ex - cel - sis, in ex-cel - sis,
ho - san - na in ex - cel - sis, in ex-cel - sis,
ho - san - na in ex - cel - , sis, in ex-cel - sis,
san - - - - - - na in ex-cel - sis,

57
san - na in ex - cel - sis, in ex - cel - sis.
san - na in ex - cel - sis, in ex - cel - sis.
san - na in ex - cel - sis, in ex - cel - sis.
san - na in ex - cel - sis, in ex - cel - sis.
ho - san - na in ex - cel - sis, ho -
ho - san na in ex - cel - sis, ho -
ho - san - na in ex - cel - sis, ho -
ho - san - na in ex - cel - sis, ho -
59
Ho - san - na in ex - cel - sis, in ex - cel - sis, in ex - cel - sis.
Ho - san - na in ex - cel - sis, in ex - cel - sis, in ex - cel - sis.
Ho - san - na in ex - cel - sis, in ex - cel - sis, in ex - cel - sis.
Ho - san - na in ex - cel - sis, in ex - cel - sis, in ex - cel - sis.
san - na in ex - cel - sis, in ex - cel - sis, in ex - cel - sis, in ex - cel - sis.
san na in ex - cel - sis, in ex - cel - sis, in ex - cel - sis, in ex - cel - sis.
san - na in ex - cel - sis, in ex - cel - sis, in ex - cel - sis, in ex - cel - sis.
san - na in ex - cel - sis, in ex - cel - sis, in ex - cel - sis, in ex - cel - sis.

CD 13

BENEDICTUS

13
Soprano I solo
Be - ne - di - ctus qui ve - nit,
Soprano II solo
Be - ne - di - ctus qui ve - nit,
p
17
be - ne - di - ctus qui ve - nit in no - mi - ne Do - mi - ni.
be - ne - di - ctus qui ve - nit in no - mi - ne Do - mi - ni.
Tenore solo
Be - ne - di - ctus qui ve - nit in no - mi - ne Do - mi - ni.
Basso solo
Be - ne - di - ctus qui ve - nit in no - mi - ne Do - mi - ni.
+ Ob. + Cor.
+ Fag.
f
21
Be - ne -
Be - ne - di - ctus qui ve - nit, be - ne - di -
p
- Ob.
- Fag.
+ Cor.
+ Fag.

23
Be - ne - di - ctus qui
di - ctus qui ve - nit, be - ne - di - - - - - - -
- - - - - - - - - - - ctus qui
+Ob. I
25
Be - ne - di - ctus qui ve - nit, qui ve - - - -
ve - nit, be - ne - di - - ctus qui ve - nit, qui ve - - - -
- - - - - ctus qui ve - nit, be - ne -
ve - - - - nit, qui ve - nit, be - ne -
+ Ob. II
-Ob.
-Fag.
-Cor.
28
- - - - - - - - - - - - - - - - -
- - - - - - nit, qui ve - - -
di - ctus qui ve - nit, qui ve - nit, qui ve - nit, qui
di - ctus qui ve - - - nit,

31
nit, qui ve - - - nit, qui
nit, qui ve - - - - - - nit, qui
ve - - - - - - - - - nit, qui
qui ve - - - - nit
+Ob. -Ob.
cresc.
f +Fag. p -Fag.
+Cor. -Cor.
34
ve - nit in no - mi - ne, in no - mi - ne Do - mi -
ve - nit in no - mi - ne, in no - mi - ne Do - mi -
ve - nit in no - mi - ne, in no - mi - ne Do - mi -
in no - mi - ne Do - mi -
mf p mf
37
ni. Be - ne - di - ctus, be - ne - di - ctus qui
ni. Be - ne - di - ctus, be - ne - di - ctus qui ve -
ni. Be - ne - di - ctus, be - ne - di - ctus qui ve - -
ni. Be - ne - di - ctus, be - ne - di - ctus qui ve - - - -
+Ob.
+Fag.
+Cor.
mf p mf p mf p

41
ve - nit in no - mi - ne Do - mi -
- - nit in no - mi - ne Do - mi -
- nit in no - mi - ne Do - mi -
- nit in no - mi - ne Do - mi -
- Cor.
43
ni, in no - - mi - ne Do - mi - ni, in no - -
- Ob.
Ob.
f Archi p + Cor.
Archi - Cor.
- Fag.
Fag.
+ Cor.
46
- mi - ne Do - mi - ni.
- Ob.
p Archi
- Cor.
f + Ob. + Fag. + Cor.
-Fag.

48
-Cor.
50
Be - ne - di -
Be - ne - di -
Be - ne -
Be - ne -
+ Cor.
-Cor.
p - Ob.
Fag.
Vla.
+ Ob.
+ Fag.
53
- ctus qui ve - nit in no-mi - ne Do - mi-ni. Be - ne -
- ctus qui ve - nit in no-mi - ne Do - mi-ni. Be - ne -
di - ctus qui ve - nit, qui ve - nit,
di - ctus qui ve - nit,
- Ob.
- Fag.

56
di - - ctus qui ve - nit in no-mi - ne Do-mi-ni,
di - - ctus qui ve-nit in no-mi - ne Do-mi-ni,
be - ne - di - ctus qui ve - nit in no - mi-ne Do - mi-ni,
be - ne - di - ctus qui ve-nit,
+Ob.
+ Fag.
- Ob. - Fag.
59
qui ve - nit, qui ve - nit in no - mi-ne
qui ve - nit, qui ve-nit in no-mi-ne
qui ve - nit, qui ve-nit in no - mi-ne
qui ve - nit in no-mi-ne
+Ob.
+Fag.
- Ob.
- Fag.
62
Do - mi-ni, qui ve - nit, qui ve - nit.
Do - mi-ni, qui ve - nit, qui ve - nit.
Do - mi-ni, qui ve - nit, qui ve - nit.
Do - mi-ni, qui ve - nit, qui ve - nit.
+ Cor.
+Ob.
+Fag.
- Cor.
- Ob.
- Fag.

65 Tenore solo
Be - ne - di - ctus qui ve - nit,
Basso solo
Be - ne - di - ctus qui ve - nit,
69 Soprano I solo
Be - ne - di - ctus qui ve - nit in no - mi - ne Do - mi - ni.
Soprano II solo
Be - ne - di - ctus qui ve - nit in no - mi - ne Do - mi - ni.
Tenore solo
be - ne - di - ctus qui ve - nit in no - mi - ne Do - mi - ni.
Basso solo
be - ne - di - ctus qui ve - nit in no - mi - ne Do - mi - ni.
+ Ob.
+ Fag.
+ Cor.
- Ob.
- Fag.
- Cor.
+ Ob.
+ Fag.
+ Cor.
73
Be - ne - di - ctus qui ve - nit, be - ne - di - ctus, be -
Be - ne - di - ctus qui ve - nit, be - ne - di - ctus
Be - ne - di - ctus qui
p
- Ob.
- Fag.
- Cor.
+ Ob. II
+Ob. I
+ Fag.

77
ne - di - ctus qui ve - nit, qui
be - - ne - di - ctus qui
ve - nit, be - ne - di - - - - ctus qui
Be - ne - di - ctus qui ve - nit, be - ne - di - ctus qui
Ob.
Fag.
cresc.
80
ve - nit, qui ve - - - nit, qui ve -
ve - nit, qui ve - -
ve - nit,
ve - nit, qui
f
p
83
nit, qui ve -
- nit, qui ve -
qui ve -
ve -
cresc.

85
-nit, qui venit in nomine, in
-nit, qui venit in nomine, in
-nit, qui venit in nomine, in
nit in
tr
f +Ob.
+Fag.
p -Ob.
-Fag.
+Cor.
-Cor.
mf
p
mf
p
88
nomine Domini. Benedictus, bene-
nomine Domini. Benedictus, bene-
nomine Domini. Qui venit, qui
nomine Domini. Benedictus, benedi-
+Ob.
+Fag.
mf
p
mf
p
91
dictus qui venit, qui
dictus qui ve-
venit, qui ve-
ctus qui ve-
mf
p

94
ve - nit in no - mi-ne Do - mi-ni, in no - -
- - nit in no - mi-ne Do - mi-ni, in no - -
- - nit in no - mi-ne Do - mi-ni, in no - -
- - nit in no - mi-ne Do - mi-ni, in no - -
+Cor.
-Ob. -Fag.
Ob.
f Archi -Cor. p +Cor.
Fag.
97
- mi-ne Do - mi-ni, in no - mi-ne, in no - -
- mi-ne Do - mi-ni, in no - mi-ne, in no - -
- mi-ne Do - mi-ni, in no - mi-ne, in no - -
- mi-ne Do - mi-ni, in no - mi-ne, in no - -
-Ob. -Fag.
-Cor.
f p +Cor.
Fag.
101
- mi-ne Do - mi-ni.
- mi-ne Do - mi-ni.
- mi-ne Do - mi-ni.
- mi-ne Do - mi-ni.
p -Ob.
-Fag
+Ob. f +Cor.
+Fag.

Rekonstruiert und ergänzt von Helmut Eder

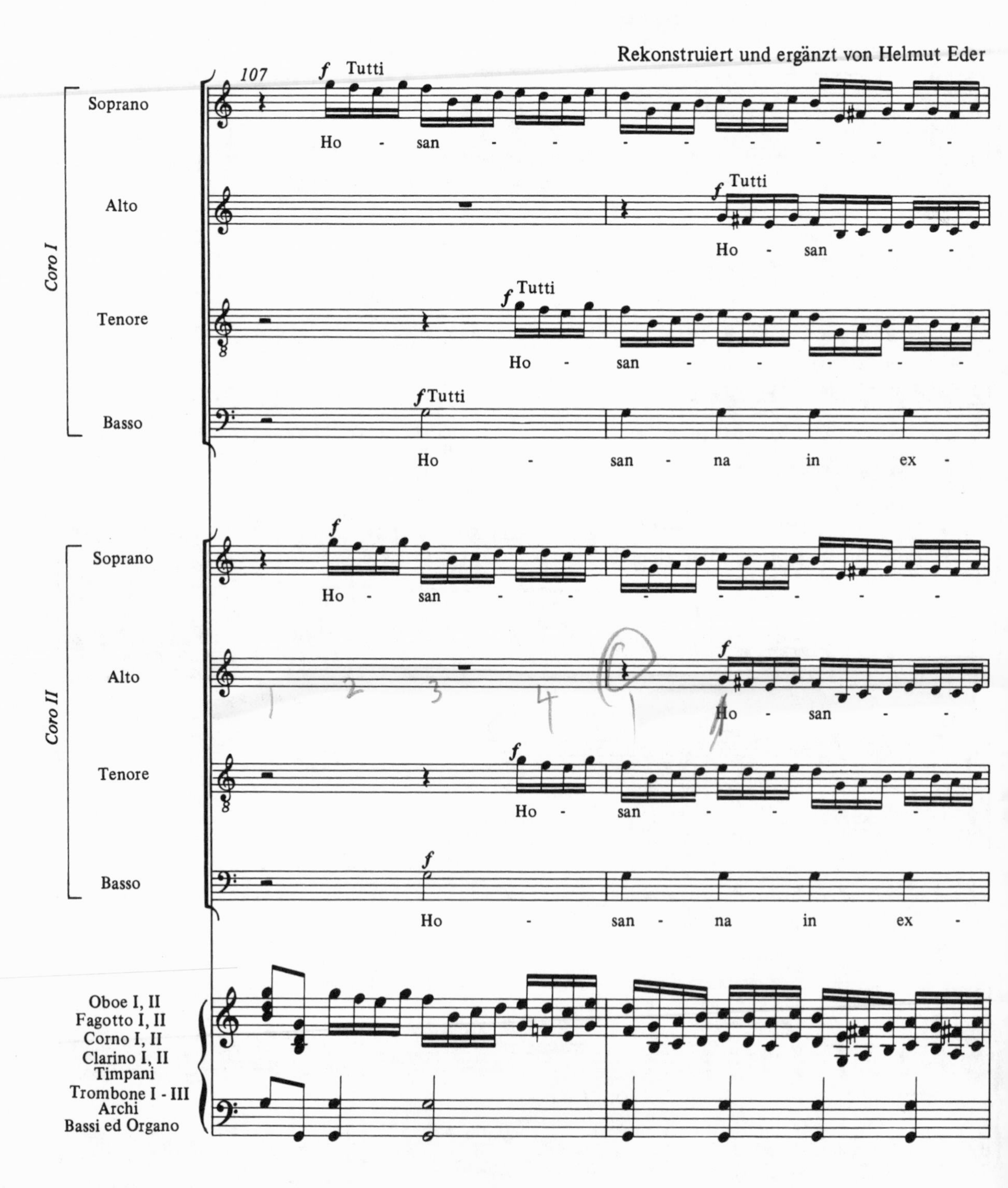

109
- - na, ho - san - na in ex - cel - sis, in ex -
na, ho - san - na in ex - cel - sis. Ho - san - - - - - - -
na, ho - san - na in ex - cel - sis.
cel - sis. Ho - san - na in ex - cel - sis. Ho - san - - - -
- - na, ho - san - na in ex - cel - sis, in ex -
na, ho - san - na in ex - cel - sis, ho - san - - - - - na, ho -
na, ho - san - na in ex - cel - sis, ho -
cel - sis, ho san - na in ex - cel - sis, ho - san - - na, ho -
112
cel - - - - - - sis. Ho - san - - - - -
na, ho - san - na, ho - san - na, ho - san - - -
Ho - san - na, ho - san - na, ho - san - -
na, ho - san - na, ho - san - na, ho - san - - -
cel - - - - - - - sis, ho - san - na
san - na in ex - cel - sis, ho - san - na
san - na in ex - cel - sis, ho - san - na
san - na in ex - cel - sis, ho san - - -

115

- - - - na in ex-cel - sis. Ho-san - na in ex-cel - sis,
- - - - na in ex-cel - sis. Ho-san - na in ex-cel - sis,
- - - - na in ex-cel - sis. Ho-san - na in ex-cel - sis,
- - - na in ex-cel - sis. Ho-san - na in ex-cel - sis,
in ex - cel - sis, in ex-cel - sis, ho-san - na in ex-
in ex - cel - sis, in ex-cel - sis, ho-san - na in ex-
in ex - cel - sis, in ex-cel - sis, ho-san - na in ex-
- - na in ex-cel - sis, ho-san - na in ex-